I Thomas a Hannah a'r Morloi a Robin, gyda chariad

The Seal Children: Frances Lincoln Limited 2004 ©
© y testun a'r lluniau: Jackie Morris 2004 ©
© y testun Cymraeg: Siân Lewis ©

Cyhoeddwyd gyntaf ym Mhrydain yn 2004 gan Frances Lincoln Limited,
4 Torriano Mews, Torriano Avenue, Llundain NW5 2RZ

Cyhoeddwyd gyntaf yng Nghymru gan Wasg Gomer,
Llandysul, Ceredigion SA44 4QL
www.gomer.co.uk

ISBN 1 84323 361 4

Argraffwyd yn Singapore

JACKIE MORRIS

Trysor y Morloi

ADDASIAD SIÂN LEWIS

GOMER

Mewn cwr o Gymru, mae man arbennig lle mae maes a rhos yn toddi'n un, a'r grug a'r eithin yn dirwyn tuag at glogwyni uchel. Rhua'r môr gan larpio'r clogwyni, a nofia'r ewyn ar y gwynt wrth i'r morloi ganu i rythm y tonnau.

Mae cerrig a waliau'n nodi'r fan lle bu pentref unwaith. Does dim pobl yno nawr. Yr unig sŵn yw cri'r boda, clochdar penddu'r eithin, bwrlwm pêr yr ehedydd a chân bellennig pobl y môr.

Flynyddoedd lawer yn ôl, daeth môr-lodes i fyw i'r pentref. Un o bobl y môr oedd hi. Syrthiodd mewn cariad â Huw, y pysgotwr hardd, a ganai mor fwyn wrth hwylio ar y don. Does dim yn well gan bobl y môr na miwsig.

Roedd Huw yn llawn rhyfeddod fod y fôr-lodes wedi dod ato, a chroesawodd hi yn gynnes i'w galon er y gwyddai mai creadur gwyllt oedd hi. Rhoddodd hithau ei chroen morlo hallt i'w ofal fel arwydd o'i chariad.

Ymhen amser, ganwyd efeilliaid i'r fôr-lodes a Huw. Roedd llygaid
y ddau mor ddisglair a gwyrdd â thonnau'r môr. Galwyd y ferch
yn Ffion a galwyd y bachgen yn Morlo, ar ôl teulu ei fam.

Roedd y plant yn helpu eu rhieni ar fôr ac ar dir. Gwaith Ffion
oedd bwydo'r ieir, casglu'r wyau brith cynnes a phlannu hadau yn
yr ardd. Âi Morlo i bysgota gyda'i dad a'i helpu i godi'r rhwydi a'r
cewyll crancod. Roedd arogl yr heli ar ei groen, ac arogl y grug ar
wallt ei chwaer.

Fin nos canai eu mam am ei bywyd o dan y môr. Canai am
fryniau a dolydd, coedwigoedd o wymon aflonydd, palasau o ewyn,
a dinasoedd yn disgleirio o aur ac o berlau.

O, roedd Morlo'n dyheu am eu gweld!

Aeth blynyddoedd heibio a dechreuodd y fôr-lodes
newid. Aeth ei gwallt yn llipa, a'i llygaid yn bŵl ac
fe herciai wrth gerdded. Roedd yn bryd iddi fynd
yn ôl adre.

Aeth Huw i nôl ei chroen morlo ac un noson,
pan oedd lleuad yr haf yn llawn ac yn drwm,
cerddodd y fôr-lodes i'r môr a phlymio o dan
y don. O'r dŵr cododd bwrlwm o leisiau ei phobl
yn ei chroesawu'n ôl.

Trodd Huw a mynd adre'n unig i'w fwthyn.

O'r diwrnod hwnnw, roedd ei rwydi bob amser
yn llawn. Roedd pobl y môr yn denu heigiau o
bysgod gloyw i'w gwch a chanai Huw ganeuon
o ddiolch iddynt ar ei ffidil.

Un bore o wanwyn, daeth dieithryn i'r pentref.
Yn gyfnewid am fara a physgod a gwin blodau'r
eithin, adroddodd hanesion ei deithiau. Soniodd
am wlad dros y dŵr lle roedd pobl yn berchen
ar eu tyddynnod ac yn elwa o'u llafur heb orfod
talu mor hallt i'r meistri tir.

Arhosodd y dieithryn am dipyn a dechreuodd
y pentrefwyr freuddwydio. Tybed a fedren nhw
fforddio talu am fordaith i'r wlad bell dros y dŵr?

Aethant ati i chwilota am bob ffyrling a cheiniog
a chwe cheiniog ac am drysor teuluol i'w werthu –
nes sylweddoli nad oedd ganddyn nhw obaith hel
digon o arian.

Ond roedd Ffion a Morlo'n dal i gofio'r storïau am
bobl y môr, eu palasau, a'u dinasoedd o aur a pherl.

Ymhen y mis, pan oedd y lleuad yn llawn,
cerddodd y ddau ar hyd y llwybr serth i'r traeth
caregog. Roedd pobman yn dawel ac oer. Gyda'i
gilydd fe ganon nhw gân i alw eu mam o'i chartref.

Wrth i'r nodyn olaf atseinio drwy'r ogofâu tywyll,
daeth pen llyfn, du i'r wyneb. Cododd eu mam o'r
dŵr yn gryf ac yn hardd unwaith eto. Wrth iddi wasgu
ei phlant yn dynn, sibrydodd y ddau eu neges
a gofyn, "Ydy'r storïau'n wir? Oes yna gyfoeth yn
eich byd chi? Allwch chi'n helpu ni?"

"Dewch gyda fi," meddai eu mam. "Dewch i weld."

Camodd Morlo yn ei flaen ar unwaith, ond cilio wnaeth Ffion. Cydiodd y fôr-lodes yn dyner yn wyneb ei mab a chwythu gwynt yr heli deirgwaith i'w geg ac i'w drwyn.

Yna cydiodd yn ei law a'i arwain o dan y tonnau.

Wrth iddo suddo i ddyfnder y môr, llanwyd Morlo â braw.

Roedd y dŵr fel llafn o rew a doedd dim posib anadlu.

Roedd ei ysgyfaint ar fin ffrwydro!

Gyda'i gilydd cododd y ddau i'r wyneb.

Anadlodd eto ac yna plymio gyda'i fam. Nawr roedd yntau hefyd yn forlo. I lawr â nhw, i lawr ac i lawr at y bryniau a'r dolydd a'r coedwigoedd o dan y don.

Roedd y môr yn fwrlwm o liw, a'i ffrydiau'n anwesu wyneb Morlo.
Dawnsiai'r gwymon yn y cerrynt rhyfedd a nofiai pysgod drwy'r
fforestydd fel adar drwy frigau'r coed. O'i gwmpas ym mhobman,
nofiai teulu ei fam. Clywai sŵn y môr yn ei glust ac, o bell, treiddiai
cân ddofn y morfilod mawr.

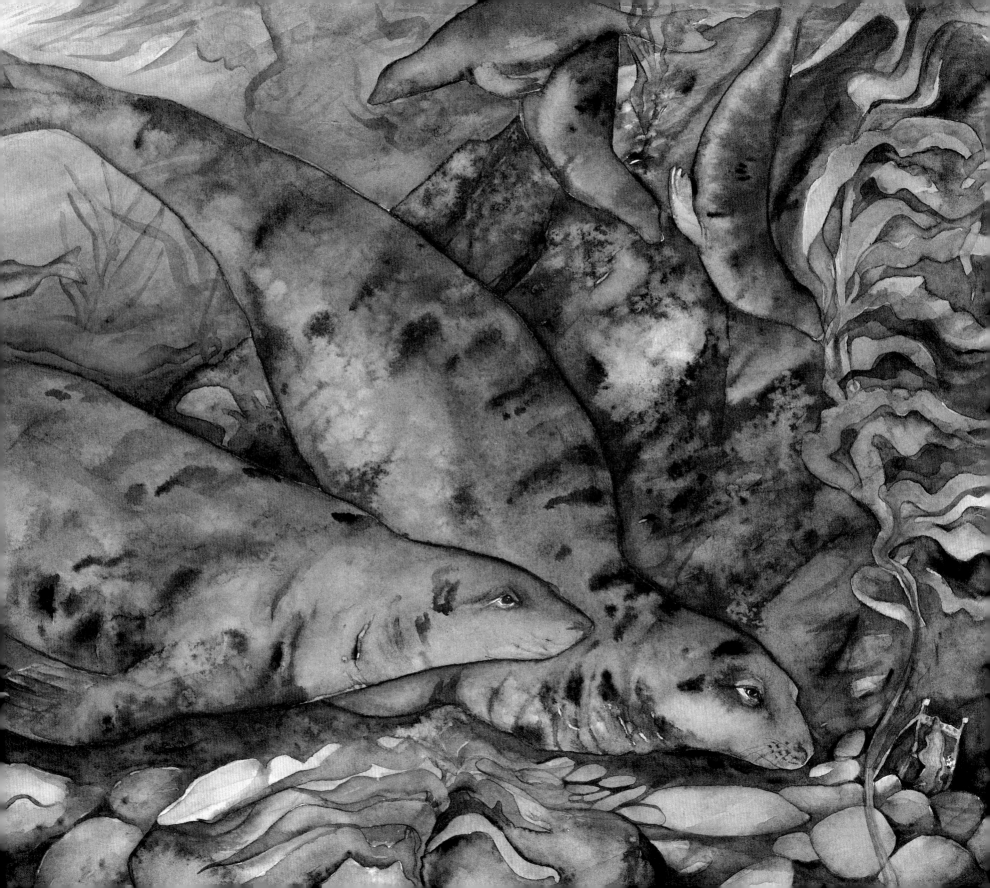

Ar y traeth, yn grynedig ac ofnus, roedd Ffion yn aros amdanynt.

Wrth i'r lleuad godi'n uwch, gwelodd ddau ben llyfn yn torri drwy'r ewyn gwyn a fflachiodd pelydryn o olau ar y blwch a daflodd y môr wrth ei thraed. Roedd trwch o gregyn mân ar y blwch a rubanau o wymon aur wedi'u lapio'n dynn amdano.

Roedd hi mor falch o weld Morlo'n camu o'r dŵr. Disgleiriai ei lygaid gan gyffro a gwyddai Ffion fod ei brawd yn bwriadu dychwelyd i'r môr gyda'i fam. Cofleidiodd y ddau a sychu dagrau hallt o lygaid ei gilydd.

Yna, am yr eildro, chwythodd y fôr-lodes anadl y môr i wyneb ei mab a llithrodd y ddau i'r dŵr gloyw.

Aeth Ffion adre ar hyd y llwybr serth â'r blwch yn ei breichiau.

Roedd ei thad yn eistedd wrth y tân. Gwasgodd Ffion y blwch i'w law. Wrth ei helpu i ddatod y rubanau, soniodd am ei mam, am antur Morlo o dan y don, ac am yr hapusrwydd yn ei lygaid pan ddychwelodd i'r dŵr.

Gyda'i gilydd fe agoron nhw'r blwch. Ynddo disgleiriai pentwr o berlau hardd.

O fwthyn i fwthyn aeth y newyddion ar led. Talodd y perlau am docyn i bawb a pharatôdd y pentrefwyr i hwylio i'r Byd Newydd.

I lawr â nhw i'r harbwr gan adael y pentref yn wag o'u hôl. Crwydrai cathod o fwthyn i fwthyn, a'u mewian yn atsain rhwng y waliau cerrig. Cyn hir byddent hwythau hefyd yn gadael y lle i chwilio am gartrefi newydd.

Ac wrth i'r llong gludo Huw, Ffion a'r pentrefwyr
o harbwr Abergwaun, cododd dau forlo eu pennau
o'r dŵr a chanu eu ffarwél.

Ynglŷn â'r Stori

Ceir hanesion am dylwyth y môr sy'n hanner-dynol a hanner-morlo – ar hyd arfordir Prydain. Merched ydyn nhw gan amlaf, ond mae ambell ddyn hefyd. Yn ôl y chwedl, os dewch chi o hyd i groen môr-lodes, cewch ei chadw'n garcharor ar dir sych. Fe fydd hi'n wraig ffyddlon, ond os byth y daw hi o hyd i'w chroen, fe aiff yn ôl i'r môr.

Saif y pentref uwchlaw clogwyni uchel tua milltir o'm cartref. Ei enw yw Maes y Mynydd. Tan ddechrau'r Rhyfel Byd Cyntaf, roedd pobl yn byw yno. Dywedir fod y bobl wedi dod yn Grynwyr. Roedden nhw eisiau mynd i Bensylfania i ddechrau bywyd newydd, ond doedd gyda nhw ddim digon o arian i dalu am docyn i bawb; ymhen amser fe aethon nhw i ffwrdd i fannau eraill. Bywyd anodd oedd bywyd y pentrefwyr. Roedd y bythynnod i gyd ynghlwm wrth ffermydd ac roedd yn rhaid i bawb, hyd yn oed y plant bach, weithio'n galed yn y caeau.

Arferai'r pentrefwyr gadw'u cychod pysgota mewn bae bychan sy'n anodd mynd ato erbyn hyn. Mae eu tai'n adfeilion bellach, ond os ewch chi i'r pentref yn yr hydref, yn enwedig ar ddiwrnod niwlog, fe glywch chi'r morloi'n canu'n yr ogofâu islaw.

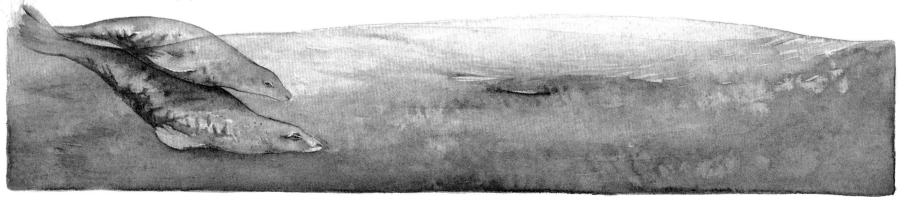